L'avaleur de couleuvres

Emmanuel TRÉDEZ
Pierre-Yves GABRION

Pour Anne
et Léonard

E.T.

D1466002

Les 400 coups

Rémi et Thomas avaient beau être frères,

ils ne se ressemblaient pas du tout.

Rémi, le plus jeune, était un petit blond, joufflu.

Thomas était brun, grand et maigre.

Très différents physiquement, ils avaient aussi des caractères opposés.

Rémi croyait tout ce qu'on lui disait,

alors que Thomas, au contraire, ne croyait que ce qu'il voyait.

Il ne perdait d'ailleurs jamais une occasion

de se moquer de la crédulité de Rémi.

Un jour, alors que les deux garçons s'étaient arrêtés dans le jardin
devant un plant de tomates vertes, Thomas dit à son frère :

- Tu sais, Rémi, si tu montres tes fesses aux tomates,
elles vont sûrement rougir.

Bien sûr, Rémi baissa son pantalon
et Thomas ne manqua pas de le tourner en ridicule.

- Toi, pour avaler des couleuvres, tu es imbattable !
lui lança-t-il.

« Avaler des couleuvres ? Qu'est-ce qu'il raconte ? s'étonna Rémi.
Bah ! ça doit être encore une de ses méchancetés ! »

Le petit garçon ne savait pas qu'avaler des couleuvres, chez les grands,
ça voulait dire croire n'importe quoi.

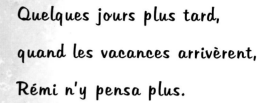

Quelques jours plus tard,
quand les vacances arrivèrent,
Rémi n'y pensa plus.

Comme chaque année,
ses parents devaient le conduire che
sa marraine Sidonie.

Là, au moins,
pendant une semaine,
son frère ne l'embêterait pas.

Sidonie n'était pas une grande
personne comme les autres.
Rémi l'avait toujours soupçonnée d'
un peu sorcière.

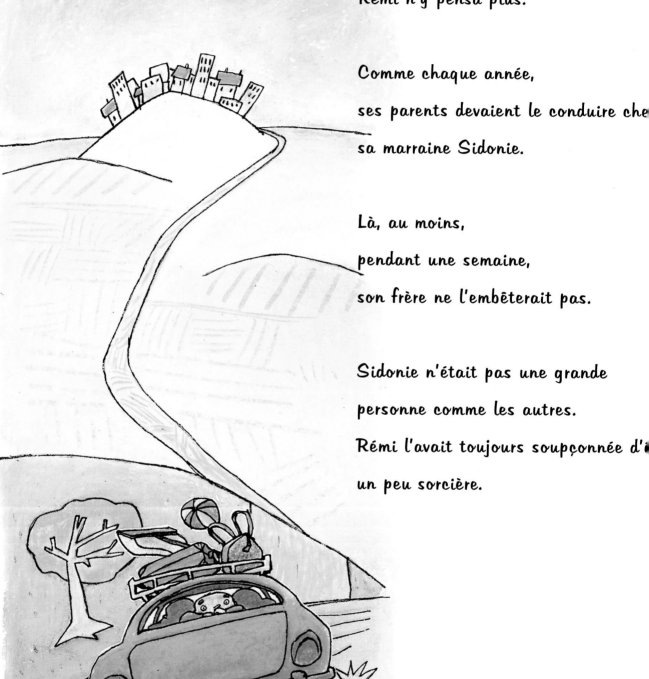

Qui d'autre qu'une puissante sorcière aurait pu posséder autant de balais ? Le placard de sa cuisine en était plein à craquer ! Mais Rémi ne douta plus du tout de ses pouvoirs magiques le jour où il entendit ses propres parents vanter ses talents de ménagère et de cuisinière :

– Tu es une vraie fée du logis, avait dit sa mère.

– Tes tartes, c'est de la sorcellerie, avait rajouté son père.

Le petit garçon se faisait déjà toute une joie

des bons moments qu'il allait passer avec sa marraine.

Sidonie lui avait annoncé, dans sa dernière lettre,

qu'un cirque allait installer son chapiteau

dans la petite ville où elle habitait ;

ils iraient donc tous les deux.

Rémi adorait le cirque.

D'ailleurs, plus tard, il voulait être dompteur...

et en attendant de dresser de vrais fauves,

il s'entraînait avec son chat Mistigri.

La petite famille arriva chez Sidonie pour le dîner.

Le repas terminé, Rémi monta se coucher

et s'endormit très vite.

Dans la matinée, il fut réveillé par une voiture rouge et jaune, équipée d'un haut-parleur, qui passait devant la maison.

Elle annonçait l'arrivée du cirque.

Tant que ses parents seraient là, se désola Rémi, il ne pourrait pas traîner sa marraine au cirque.

Toute la journée, il attendit leur départ avec une impatience qu'il eut du mal à dissimuler.

Quand son père sortit la voiture, en fin d'après-midi, il alla même jusqu'à l'aider à mettre les bagages dans le coffre.

- Tu as l'air bien pressé de nous voir partir, Rémi, plaisanta son père, qui n'était pas dupe.

La voiture n'avait pas encore tourné le coin de la rue
que Rémi apportait son manteau à sa marraine.

Inutile de dire qu'ils furent les premiers à se présenter au guichet.

Leurs billets en poche, ils durent encore patienter un long moment
avant le début de la représentation.

Mais ça en valait la peine :
    dompteurs, acrobates et funambules, clowns et trapézistes
    offrirent à Rémi le plus beau spectacle qu'il ait jamais vu.

Dès son réveil, le lendemain, Rémi ne pensa plus qu'à retourner au cirque. Son petit-déjeuner à peine avalé, il courut jusqu'au chapiteau.

Heureusement, les répétitions n'avaient pas encore commencé.

Il se planta devant la grande affiche qui présentait le programme du spectacle. Si seulement il pouvait, lui aussi, être sur la piste !

Oui, mais que savait-il faire ?

Il ne savait pas jongler avec des balles ou des quilles, encore moins avec des torches enflammées.

Il ne savait pas non plus marcher sur un fil avec un parapluie, ni faire du trapèze. Pas plus qu'il ne savait lancer des couteaux les yeux bandés ou monter debout sur des chevaux.

En somme, il ne savait rien faire.

Tout à coup, il se rappela ce que lui avait dit son frère avant les vacances : qu'il était imbattable pour avaler des couleuvres.

Il retournait cette idée dans sa tête quand quelqu'un le fit sursauter.

– Tu aimes donc le cirque, mon garçon ?

Il ne le reconnut pas tout de suite sans sa veste rouge,

mais c'était Monsieur Loyal, celui qui présente les numéros au cirque.

Rémi allait répondre, quand il entendit quelqu'un appeler.

- Monsieur le directeur ! Monsieur le directeur !

Un petit bonhomme rondouillard avec un costume à carreaux était sorti

précipitamment de l'une des caravanes et courait dans leur direction.

À chaque pas qu'il faisait avec ses chaussures de clown, il manquait

de se casser la figure ! Enfin, il arriva à leur hauteur. À son air affolé,

Rémi comprit tout de suite qu'il apportait de mauvaises nouvelles à son patron.

- Catastrophe! dit-il enfin. Kim et Nazir sont tombés malades.
Il faut annuler la représentation, on ne pourra jamais leur trouver
un remplaçant d'ici ce soir!

- C'est fâcheux, en effet, fit le directeur, un peu ennuyé.
Puis il se tourna vers l'enfant.
- Comment t'appelles-tu, mon garçon?
        - Rémi, monsieur.
- Et qu'est-ce que tu sais faire, Rémi?
        - Moi? hésita Rémi... je sais avaler des couleuvres.
- Voilà qui est original! Écoute, mon garçon, tu rêves de faire du cirque?
        - Oh! oui, monsieur!
- Alors, je t'engage. Tu n'auras qu'à passer me voir tout à l'heure,
je te donnerai un costume. C'est entendu?

Monsieur Loyal sortit de sa poche un gros feutre noir et,

sur l'affiche que Rémi avait si longtemps contemplée la veille,

entre le numéro des frères Popov, les merveilleux acrobates,

et celui du Mexicain, le redoutable lanceur de couteaux,

il raya la fin de « Kim, avaleur de sabres »

et le début de « Nazir, charmeur de serpents ».

On pouvait lire désormais :

« Kim, avaleur... de serpents ».

Kim ! C'était un joli nom d'artiste.

Et ce soir, devant tout le monde,

il exécuterait un vrai numéro de cirque...

Rémi était au paradis !

Mais peu après,

le pauvre garçon réalisa qu'il avait parlé trop vite.

Il n'avait jamais avalé de serpents de sa vie, et d'ailleurs,

il ignorait où et comment il pourrait en dénicher d'ici la représentation.

De retour chez sa marraine, désespéré,

il courut s'enfermer dans sa chambre.

Sidonie frappa à la porte. Pas de réponse. Elle entra.

Rémi était allongé sur son lit et pleurait.

Elle s'assit à côté de lui et se mit à lui caresser les cheveux. Doucement.

Bientôt, les reniflements s'espacèrent et les larmes cessèrent de couler. Rémi consentit alors à lui raconter ses malheurs.

- Avaleur de couleuvres ? Quelle drôle d'idée, s'étonna Sidonie.

Puis elle garda le silence pendant un moment.
Elle avait un air soucieux. Enfin, son visage s'éclaira.

- J'ai une idée ! s'écria-t-elle. Mais d'ici ce soir, ça ne nous laisse pas beaucoup de temps. Rémi, cours donc chez le marchand de bonbons et rapporte-moi sept sucettes. Les plus grandes que tu pourras trouver.

Rémi ne se fit pas prier et partit à toutes jambes. Dix minutes plus tard,

il revint triomphalement avec sept sucettes géantes à la main.

De différents parfums et de différentes couleurs.

Il trouva Sidonie qui sifflotait dans la cuisine.

Pendant son absence,

elle avait revêtu un joli tablier, ouvert un énorme livre sur la table

et mis un chaudron sur le feu.

- Qu'est-ce qu'il y a dans ta sauce ?

lui demande Rémi, la tête penchée au-dessus du récipient.

- Oh, rien de spécial ! Quelques écailles de serpent, une queue de lézard,

un peu de lait caillé de chèvre pour le goût...

Et j'allais oublier le plus important,

de la bave de crapaud,

lui répondit-elle.

Et maintenant,

passe-moi les sucettes.

Sidonie

les plongea

dans le chaudron.

Puis elle se pencha sur le livre

et se mit à le lire à haute voix,

tout en faisant de curieuses gesticulations.

Comment n'y avait-il pas songé plus tôt,

ce qu'il avait pris pour de la sauce

devait être une potion magique

et son livre de cuisine le grimoire d'une sorcière.

Une question lui brûlait les lèvres.

- Alors, tu es vraiment une sorcière ?

　　- Eh oui ! Rémi. Comme tu le vois.

- Dis, tu me feras conduire ton balai ?

　　- Tu es trop jeune, Rémi !

Et puis, tu sais, les sorcières ne se déplacent plus guère en balai.

Ou alors, seulement le dimanche, pour se promener.

Aujourd'hui, elles ont toutes des aspirateurs sans fil : ça fait plus de bruit,

mais ça va beaucoup plus vite !

Tu vois, on n'arrête pas le progrès,

même chez les sorcières.

- Et pourquoi tu n'as pas de verrue sur le nez ?

- Quand j'étais jeune sorcière, j'en avais une. C'était la mode,
et toutes mes amies se collaient une verrue sur le nez.
Mais aujourd'hui, ça ferait ringard.

- Et tu ne mets jamais de chapeau pointu ?

- Seulement dans les grandes occasions.
Jamais pour rester à la maison : les pièces ne sont pas assez hautes
de plafond. Avec un chapeau pareil, il faudrait que je me plie en deux
pour circuler chez moi. Si c'est pour être bossue, comme les sorcières
de la vieille génération, merci !

Rémi réalisa tout à coup qu'il n'avait pas posé à sa marraine

la question la plus importante.

- Comment vais-je faire pour avaler ces serpents ?

C'est dégoûtant ! Et puis c'est énorme !

- Ne t'en fais pas pour ça, Rémi. Ce sont des couleuvres magiques !

Elles disparaîtront au fur et à mesure que tu les avaleras.

Tu verras, il n'y a rien de plus facile.

Mais prends garde, Rémi !

Quand les douze coups de minuit auront sonné,

les couleuvres se transformeront

à nouveau en sucettes.

Il avait déjà entendu ça quelque part !

Mais, ça, c'était dans une autre histoire...

L'heure du spectacle arriva.

Vêtu d'un joli costume bleu pâle et coiffé d'un chapeau bleu marine,

Rémi attendait dans les coulisses que vienne son tour.

Il avait le trac, comme son grand frère quand il passe des examens.

Enfin, Monsieur Loyal annonça son numéro au public,

et Rémi fit son entrée sous les applaudissements.

Il sortit d'abord du sac la couleuvre violette
et fit le tour de la piste, en la tenant par la queue,
pour que tout le monde puisse bien la voir.

Les spectateurs au premier rang reculèrent d'effroi devant le serpent.
Puis il mit la couleuvre au-dessus de sa tête et ouvrit la bouche.
– Beurk ! s'exclama une fillette qui, bien sûr,
n'imaginait pas qu'un serpent puisse avoir ce bon goût de violette.

Rémi fit lentement descendre la couleuvre dans sa gorge.

Comme le lui avait dit sa marraine,

la couleuvre disparaissait au fur et à mesure qu'il l'avalait.

Le public poussait des oh! et des ah! Quand il l'eut entièrement avalée,

il eut droit à de nouveaux applaudissements

et ça lui fit chaud au cœur.

C'est alors que les ennuis commencèrent.

La couleuvre indigo avait disparu.

Elle n'était plus dans le sac.

Pendant quelques instants,
il la chercha des yeux sur la piste,
avant de l'apercevoir à deux pas de lui,
qui ondulait sur le sable.

Après plusieurs plongeons manqués,
il finit par la rattraper
et l'avala à son tour.

Quand Rémi voulut ensuite sortir du sac une autre couleuvre,

il fut bien embêté, car elles avaient formé un nœud à l'intérieur.

Les couleuvres sont paresseuses, c'est bien connu,

et aucune d'elles n'avait envie de se mettre au travail.

Tandis que Rémi essayait de défaire le nœud,

le public, lui, riait de bon cœur.

Le numéro d'avaleur de serpents

se transformait peu à peu

en numéro de clown.

« J'aurais mieux fait

de mettre un nez rouge,

se dit-il, un peu vexé ».

Enfin, après avoir englouti, tant bien que mal,

la couleuvre bleue, la verte et la jaune,

Rémi eut encore un mal fou à avaler la couleuvre orange.

Comme si elle avait peur du vide,

elle se débattait devant la bouche de Rémi,

fouettant son visage de sa queue.

Malgré tout, il en fit son affaire.

Son numéro touchait maintenant à sa fin.

Il se saisit de la septième et dernière couleuvre, la rouge,

et l'ingurgita lentement.

Le public applaudit à tout rompre.

Mais ce n'était pas fini. Rémi fit bientôt sortir de sa bouche un serpent long de
plusieurs mètres, formé des sept couleuvres qui se mordaient la queue.

Il quitta la piste quand les douze
coups de minuit sonnèrent.

Quelques secondes plus tard,
dans le sac de Rémi,

il ne restait plus que sept grandes
sucettes de toutes les couleurs.

À son retour de vacances,

Rémi s'empressa de raconter ses exploits à son frère.

- Tu sais, Thomas, tu avais raison.

Je suis imbattable pour avaler des couleuvres.

- Qu'est-ce que tu racontes ?

- Tu m'aurais vu, l'autre jour, au cirque, avaler tous ces serpents,
les gens étaient drôlement impressionnés.

Et c'est un peu grâce à toi !

- Tu es fou mon pauvre Rémi, personne ne peut avaler des couleuvres!
Tu as dû rêver, une fois de plus! Avaler des couleuvres,
c'est juste une expression. çcCaut dire croire n'importe quoi.
Comme toi, l'autre jour, avec les tomates.

- Croire n'importe quoi ?

Alors, tu n'as pas dû regarder les tomates du jardin.

Si tu savais comme elles sont belles...

Bien grosses et bien rouges !

Crois-moi, je n'ai pas baissé mon pantalon pour rien.

Fin

© 2001 Pierre-Yves GABRION, Emmanuel TRÉDEZ et

les Editions Les 400 coups • France
Dépôt légal : 4ᵉᵐᵉ trimestre 2001
ISBN 2 – 84596 – 031 – X

Loi 49–956 du 16 juillet 1949
sur les publications destinées à la jeunesse.

Conception – Mise en page : MPAT GRAPHIQUE

Imprimé à DEYME (France) par (MPAT) imprimerie